CW00417997

Gallimard Jeunesse - Giboulées sous la direction de Colline Faure-Poirée

ISBN : 978-2-07-061843-9
Premier dépôt légal : avril 2008
Dépôt légal : juillet 2011
Numéro d'édition : 233846
Loi n°49956 du 16 juillet 1949
sur les publications destinées à la jeunesse
Impression et reliure : Pollina s.a., 85400 Luçon - n° L57828A
Imprimé en France

La Reine RoseRose

Alex Sanders

Gallimard Jeunesse - Giboulées

Il était une fois, à la rosée du matin,
un petit palais rose, tout rose.
Au Château de la Roseraie vivait
la Reine RoseRose, et tout dans
sa demeure avait cette ravissante
couleur : les petits coussins,
les serviettes de bain, les lits
à baldaquin… Le rose était pour
cette altesse la couleur du bonheur.

Elle lui vouait une véritable passion.
Pour cette raison, ses animaux
domestiques étaient des petits
cochons ! Rosita, Marie-Rose
et Ronchon étaient leurs prénoms.
Et ils sentaient toujours la rose,
ce qui est plutôt rare pour des
cochons. La reine, en effet, avait
dans ses jardins une petite fabrique
de parfum.

Dans de grands bacs macéraient par
milliers des pétales de roses. Goutte
à goutte, les alambics distillaient
un élixir enchanteur : l'eau de rose.
Les petites ouvrières de la reine,
Rosalie, Rosette et Roselyne
travaillaient dans cette petite usine
à confectionner des crèmes de
beauté, du savon, de l'eau de toilette,
très prisés de ses chères altesses.
La Reine JolieJolie s'en faisait livrer
chaque semaine une caisse et
la Reine BisouBisou ne pouvait
plus s'en passer.

– On peut faire beaucoup de choses avec ces petits pétales ! se vantait la Reine RoseRose. Car dans ses cuisines, là aussi, on avait quelques spécialités : la confiture et les loukoums à la rose étaient très réputés.
D'ailleurs, aux menus de sa majesté, il n'y avait rien que du rose : jambon au torchon, saumon, tarama, gambas et crevettes, rosbif et rosette, pamplemousse rose, glace à la fraise et macarons à la framboise…

Menu

… au cœur aussi tendre que celui de la reine. Grâce à son petit teint rosé, le Roi MiamMiam avait les faveurs de sa majesté. Autant dire qu'elle en était amoureuse.
Mais ce roi-là préférait passer ses journées à chercher des truffes, plutôt que de courir avec elle après les petits papillons. La Reine RoseRose avait beau lui tourner autour, elle avait bien du mal à attirer son attention. Alors elle eut une idée…

« Je vais l'inviter à goûter ! » se dit-
elle un matin.
Dans une lettre joliment tournée, elle
lui proposa de venir chez elle déguster
des loukoums.
« Il ne pourra pas résister ! » espérait-
elle en secret.
Pour allécher le roi, elle parfuma sa
lettre de quelques gouttes d'élixir…
de rose, il va sans dire ! Elle osa aussi
quelques petits cœurs, pour lui faire
comprendre qu'elle l'aimait. Puis elle
cacheta l'enveloppe avec de la cire,
afin que personne ne puisse l'ouvrir.

– Quelle délicieuse invitation !
s'exclama le Roi MiamMiam en lisant
tout haut la lettre :
Voulez-vous me faire l'honneur de
venir en mon Château de la Roseraie,
pour l'heure du goûter ? Je vous ferai
déguster des loukoums à la rose.
– Oh ! Oh ! Cela promet ! jubila-t-il.
Il confia alors, plein d'émotion, à l'un
de ses valets :
– Ce sont mes préférés !
Le lendemain, la Reine RoseRose
eut à peine le temps de parfaire
sa coiffure…

… que déjà le Roi MiamMiam se trouvait dans son salon, à plonger les doigts dans la confiture.
– Qu'en est-il de vos fameux loukoums ? s'impatienta-t-il dès le premier instant. Ce qui, bien sûr, n'avait rien d'élégant. Et la reine amoureuse, lui servant ce festin, lui demanda soudain :
– Avez-vous remarqué, Messire… les petits cœurs que je vous ai dessinés ?

Le roi lui répondit alors, la bouche pleine de loukoums, qu'il était déjà fiancé avec la Reine GuiliGuili.
Cette terrible nouvelle plongea la Reine RoseRose dans une humeur morose.
Le cœur brisé, elle s'en alla arroser ses rosiers de larmes amères.
– Il m'a envoyée sur les roses ! Et il n'en est guère sans épines ! soupirait-elle, quand soudain on entendit crier :
– Aïe ! Ouille, ça pique !
Et cela venait de là-bas justement, de la roseraie.

La reine s’approcha, intriguée…
Un chevalier tout dépenaillé bataillait farouchement pour se sortir du piège de mille petites épines dans lequel son cheval l’avait fait tomber. Il réclamait de l’aide pour se dépêtrer de cette fâcheuse posture.
La reine appela aussitôt ses servantes, elles sonnèrent les valets, qui se précipitèrent chez les jardiniers pour trouver un petit sécateur.
Une fois libéré, le chevalier se trouva drôlement ennuyé d’avoir à cacher ses petites fesses…

– … toutes roses ! chuchotaient les servantes, ravies de voir leur souveraine retrouver le sourire.
La Reine RoseRose, en effet, s'était trouvé un nouvel amour !
– Je suis le Chevalier Juan José Del Bingo ! s'exclama celui-ci, tandis que la Reine RoseRose l'aidait à changer de vêtements.
– Comme votre château sent bon, Majesté ! ajouta-t-il alors. Comme vous êtes jolie !

– Vous êtes charmant, mon prince,
je vous veux pour mari !
Ainsi lui répondit la belle altesse.
Et voici comment cette petite histoire
à l'eau de rose se termine : ils se
marièrent sous une pluie de pétales
devant un parterre royal.
La Reine RoseRose, exceptionnellement,
revêtit pour cette sublime occasion
une robe blanche, comme le veut la
tradition.

Vive la mariée !

*Vive les mariés qui, main dans la main et
le rose aux joues, voyaient la vie en rose !*